Inglés sin Barreras®

El Video-Maestro de Inglés Conversacional

4 El Calendario y el clima

Manual

ISBN: 1-59172-296-9 I704VM04

Dedicatoria

Dedicamos este curso a todos los hispanos que tomaron la iniciativa de traer el idioma inglés a sus vidas para expandir sus horizontes. Los sueños pueden convertirse en realidad. Con gran respeto y afecto,

Sus amigos de Inglés sin Barreras

Metodología	Center for Applied Linguistics
Texto	Karen Peratt, Cristina Ribeiro
	Center for Applied Linguistics
	International Media Access Inc.
Ilustraciones	Gabriela Cabrera, Linda Beckerman
Diseño gráfico	Gabriela Cabrera, José Luis Quilez,
	Leena Hannonen/MACnetic Design,
	David Kaestle, Inc., Martin Petersson
Guión adaptado - inglés	Karen Peratt
Guión adaptado - español	Cristina Ribeiro
Edición	Horacio Gosparini, Yuri Murúa,
	Damián Quevedo, Mike Ramirez
Aprendamos viajando	Marcos Said, Pablo Moreno, Alfredo León
Aprendamos conversando	Howard Beckerman
	Producción: Heartworks International, Inc.
Música	Erich Bulling
Diseño gráfico - video	Marcos Said
Fotografía	Alejandro Toro, Alfredo León
Producción en línea	Miguel Rueda
Dirección - video	Loretta G. Seyer, Patricio Stark,
Coordinación de proyecto	Cristina Ribeiro
Dirección de proyecto	Karen Peratt
Directora ejecutiva	Valeria Rico
Productor ejecutivo y director creativo	José Luis Nazar

El Calendario y el clima

Índice

1 Notas

Lección 1

1 Notas

Vocabulario 1

Le recomendamos que lea las palabras del vocabulario antes de ver el video correspondiente a esta lección. Éstas son las palabras más importantes de esta lección.

calendar	*calendario*
day	*día*
week	*semana*
weekend	*fin de semana*
month	*mes*
year	*año*
Monday	*lunes*
Tuesday	*martes*
Wednesday	*miércoles*
Thursday	*jueves*
Friday	*viernes*
Saturday	*sábado*
Sunday	*domingo*
January	*enero*
February	*febrero*
March	*marzo*
April	*abril*
May	*mayo*
June	*junio*
July	*julio*
August	*agosto*
September	*septiembre*
October	*octubre*
November	*noviembre*
December	*diciembre*

1 Vocabulario

first	*primero*
second	*segundo*
third	*tercero*
fourth	*cuarto*
fifth	*quinto*
sixth	*sexto*
seventh	*séptimo*
eighth	*octavo*
ninth	*noveno*
tenth	*décimo*
eleventh	*undécimo*
twelfth	*duodécimo*
there is	*hay (una cosa)*
there are	*hay (más de una cosa)*
order	*orden*

Más vocabulario

probably	*probablemente*
(to) miss	*echar de menos, extrañar*
(to) understand	*entender, comprender*
(to) prepare	*preparar*
(to) show	*enseñar, mostrar*
every day	*cada día, todos los días*
many	*muchos(as)*
a lot	*mucho(a)*
thing	*cosa*
everything	*todo*
anything	*cualquier cosa*
garden	*jardín*
high school	*escuela secundaria*
university	*universidad*
education	*educación*
economics	*ciencias económicas*

1 Vocabulario

Elementos esenciales

Esta sección destaca los elementos básicos de esta lección. Lea detenidamente lo que incluimos en ella.

year	=	12 months
año	=	*doce meses*
month	=	4 weeks or about 30 days
mes	=	*cuatro semanas o unos treinta días*
week	=	7 days
semana	=	*siete días*
weekend	=	Saturday and Sunday
fin de semana	=	*sábado y domingo*

there is	*hay (una cosa)*
There is one Saturday.	*Hay un sábado.*
there are	*hay (más de una cosa)*
There are 30 days.	*Hay treinta días.*

first	=	1st	=	*primero*
second	=	2nd	=	*segundo*
third	=	3rd	=	*tercero*
fourth	=	4th	=	*cuarto*
fifth	=	5th	=	*quinto*
sixth	=	6th	=	*sexto*
seventh	=	7th	=	*séptimo*
eighth	=	8th	=	*octavo*
ninth	=	9th	=	*noveno*
tenth	=	10th	=	*décimo*
eleventh	=	11th	=	*undécimo*
twelfth	=	12th	=	*duodécimo*

at the eleventh hour

Su traducción literal es "la undécima hora" y significa "a última hora".

– Did you find a solution?
– Yes. At the eleventh hour I fixed the problem and turned in the report on time.

– *¿Encontraste una solución?*
– *Sí. A última hora, solucioné el problema y entregué el informe a tiempo.*

1 Clase

Apuntes

El calendario

Los calendarios de los Estados Unidos suelen poner el domingo en la primera columna y el sábado en la última. Sin embargo, la mayoría de la gente opina que la semana empieza el lunes y termina el domingo. Y el fin de semana incluye el sábado y el domingo.

July
Sun. Mon. Tue. Wed. Thur. Fri. Sat.
1 2 3 4 5 6 7
8 9 10 11 12 13 14
15 16 17 18 19 20 21
22 23 24 25 26 27 28
29 30 31

Los días de la semana

Day *Día*	Abbreviation *Abreviatura*	
Monday	Mon.	*lunes*
Tuesday	Tue. *o* Tues.	*martes*
Wednesday	Wed.	*miércoles*
Thursday	Thu. *o* Thurs.	*jueves*
Friday	Fri.	*viernes*
Saturday	Sat.	*sábado*
Sunday	Sun.	*domingo*

En inglés, los nombres de los días de la semana siempre se escriben con mayúscula inicial. Los nombres de los días se suelen abreviar en los calendarios tal y como se muestra en el calendario de arriba. Se aceptan las abreviaturas en las notas al margen de un documento y en escritos informales. De lo contrario, siempre hay que escribir el nombre completo de los días de la semana.

Siempre debe ponerse un punto al final de la abreviatura o palabra acortada.

1 Clase

Los meses del año

Month *Mes*	Abbreviation *Abreviatura*	Number *Número*
January *enero*	Jan.	1
February *febrero*	Feb.	2
March *marzo*	Mar.	3
April *abril*	Apr.	4
May *mayo*	May	5
June *junio*	June	6

July *julio*	July	7
August *agosto*	Aug.	8
September *septiembre*	Sept. *o* Sep.	9
October *octubre*	Oct.	10
November *noviembre*	Nov.	11
December *diciembre*	Dec.	12

Los nombres de los meses también empiezan con letra mayúscula. Por regla general, también se acortan o abrevian tal y como lo muestra la columna anterior. Mayo, junio y julio no se abrevian ya que son nombres con pocas letras. También se pueden usar las abreviaturas de los meses siempre y cuando no se incluyan en documentos oficiales.

Cuando se escribe la fecha completa (mes, día, año) se usa a menudo el número correspondiente al mes.

10/30/2006 es lo mismo que **October 30, 2006** y significa 30 de octubre de 2006.

1 Clase

Números que sirven para ordenar

Los números que sirven para ordenar se distinguen de los demás números ya que no se escriben de la misma forma. Suelen cambiar las últimas letras de cada número, con excepción de **first**, **second** y **third**.

first = 1st = *primero*
second = 2nd = *segundo*
third = 3rd = *tercero*
fourth = 4th =*cuarto*

Estos números se usan, por ejemplo, para ordenar los meses.

January is the first month. *Enero es el primer mes.*

Pero se usan principalmente para decir la fecha.
La fecha 1 de enero se escribe **January 1** pero se pronuncia **January first**.

Cómo escribir la fecha

En los Estados Unidos, se escribe la fecha indicando primero el mes, luego el día y finalmente el año. A veces, el año está representado sólamente por su dos últimas cifras: 2006=06

December 1, 2006 *1 de diciembre de 2006*
Dec. 1, 2006
12/1/2006
12/1/06
12-1-2006
12-1-06

En los Estados Unidos, la fecha siempre comienza con el nombre o el número del mes. ¡Debe tenerlo presente para no confundir el mes y el día!

Clase 1

Un poema para recordar

Todo el mundo aprende el poema siguiente para recordar los días que tiene cada mes. **Leap year** significa año bisiesto. En un año bisiesto, el mes de febrero tiene veintinueve días en vez de veintiocho días.

Thirty days have September,
April, June and November.
All the rest have thirty-one,
Except February. It has twenty-eight,
or twenty-nine in a leap year.

Treinta días tienen septiembre,
abril, junio y noviembre.
Los demás tienen treinta y uno,
excepto febrero. Tiene veintiocho
o veintinueve en año bisiesto.

"Is anything wrong?"

Si queremos saber si una persona tiene algún problema, podemos hacer una de las preguntas siguientes:

Is anything wrong? — *¿Pasa algo?*
Is something wrong? — *¿Pasa algo?*

Estas son las respuestas típicas a las preguntas anteriores, suponiendo que no haya ningún problema.

No, everything is OK. — *No, todo va bien.*
No, nothing is wrong. — *No, no pasa nada.*

Use la forma simple de los verbos **to understand** y **to miss** para describir una acción que está ocurriendo ahora.

I miss my family every day. — *Extraño a mi familia todos los días.*
I understand. — *Lo comprendo.*

1 Diálogo

Éste es el texto completo del diálogo incluido en el video. Usted hará el papel del espectador (viewer). Si le hacen una pregunta personal, conteste usando información personal. Tenga en cuenta que las respuestas del espectador que le proporcionamos no son las únicas respuestas correctas.

El cumpleaños de Bill

Bill	Hi. *Hola.*
Viewer	Hello. *Hola.*
Bill	How are you? *¿Cómo está usted?*
Viewer	I'm fine. And you? *Bien. ¿Y usted?*
Bill	I'm fine, too. *Bien, también.*
Janet	Hello, Bill. How are you? *Hola, Bill. ¿Cómo estás?*
Bill	I'm great. How are you? *Fantástico. ¿Cómo estás?*
Janet	I'm fine. What are you doing today? *Bien. ¿Qué vas a hacer hoy?*

Diálogo 1

Bill	I'm meeting Amy and Mark for lunch. *Voy a almorzar con Amy y Mark.*
Janet	Oh, a lunch date with your wife and son. That's nice. *Oh, una cita para almorzar con tu esposa y tu hijo. ¡Qué bien!*
Bill	Yes. Today is my birthday. *Sí. Hoy es mi cumpleaños.*
Viewer	Happy birthday. *Feliz cumpleaños.*
Bill	Thanks. *Gracias.*
Janet	So your birthday is April eleventh! *¡Entonces tu cumpleaños es el once de abril!*
Bill	Yes. *Sí.*
Janet	And your daughter Cindy? When is her birthday? *¿Y tu hija Cindy? ¿Cuándo es su cumpleaños?*
Bill	Her birthday is September fifth. *Su cumpleaños es el cinco de septiembre.*
Janet	My birthday is September fifth, too! *¡Yo también cumplo años el cinco de septiembre!*

1 Diálogo

Bill	Really? *¿De verdad?*
Janet	Well, happy birthday, Bill. Have a nice lunch. See you later. *Bueno, feliz cumpleaños, Bill. Que disfrutes del almuerzo. Hasta luego.*
Bill	Thanks. *Gracias.*

wet behind the ears

Literalmente significa "mojado detrás de las orejas" pero se usa para describir a una persona que carece de experiencia, a un principiante.

— Ana looks nervous.
— Yes. She just learned to drive so she's still wet behind the ears.

— Ana parece nerviosa.
— Sí. Acaba de aprender a manejar, así que todavía le falta experiencia.

Lección 2

2 Notas

Vocabulario 2

Le recomendamos que lea las palabras del vocabulario antes de ver el video correspondiente a esta lección. Éstas son las palabras más importantes de esta lección.

more	*más*
thirteenth	*decimotercero*
fourteenth	*decimocuarto*
fifteenth	*decimoquinto*
sixteenth	*decimosexto*
seventeenth	*decimoséptimo*
eighteenth	*decimoctavo*
nineteenth	*decimonoveno*
twentieth	*vigésimo*
twenty-first	*vigésimoprimero*

date	*fecha*
today	*hoy*
tomorrow	*mañana*
yesterday	*ayer*
the day after tomorrow	*pasado mañana*
the day before yesterday	*anteayer*
last year	*el año pasado*

2 Vocabulario

Más vocabulario

baseball	*béisbol*
football	*fútbol*
tradition	*tradición, costumbre*
card	*tarjeta*
group	*grupo*
radio	*radio*
(to) have a picnic	*hacer un pícnic*
(to) work hard	*trabajar duro*

Elementos esenciales

Esta sección destaca los elementos básicos de esta lección. Lea detenidamente lo que incluimos en ella.

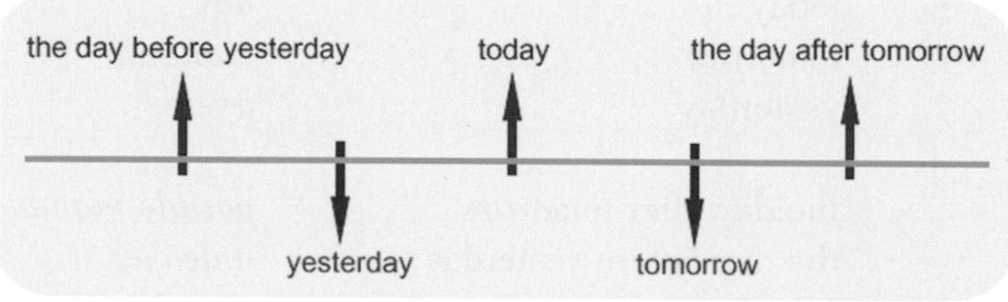

wasn't = was not

no era o no estaba	*no fui o no estuve*
	no fue o no estuvo

weren't = were not

no eras o no estabas	*no fuiste o no estuviste*
no era o no estaba	*no fue o no estuvo*
no eramos o no estábamos	*no fuimos o no estuvimos*
no eran o no estaban	*no fueron o no estuvieron*

Vocabulario 2

What is the day today?
¿Qué día es hoy?

What is the date?
¿A qué fecha estamos?
¿Qué fecha es hoy?

What were you doing yesterday?
¿Qué estabas haciendo ayer?

Aprenda y practique

Le recomendamos que aprenda las expresiones y oraciones incluidas en esta sección. Practique lo aprendido cada día.

Yesterday	I was		nervous.
	you were		sad.
	he was		crazy.
	she was	(not)	angry.
	we were		tired.
	you were		scared.
	they were		sick.

Ayer	*yo no estaba*	*nervioso.*
	tú no estabas	*triste.*
	él no estaba	*loco.*
	ella no estaba	*enojada.*
	nosotros no estábamos	*cansados.*
	ustedes no estaban	*asustados.*
	ellos no estaban	*enfermos.*

2 Vocabulario

What	was I	doing	yesterday?
	were you		last week?
	was he		last year?
	was she		the day before yesterday?
	were we		last month?
	were you		last night?
	were they		at 4:00 AM?

¿Qué	*estaba haciendo yo*	*ayer?*
	estabas haciendo tú	*la semana pasada?*
	estaba haciendo usted	*la semana pasada?*
	estaba haciendo él	*el año pasado?*
	estaba haciendo ella	*anteayer?*
	estábamos haciendo nosotros	*el mes pasado?*
	estaban haciendo ustedes	*anoche?*
	estaban haciendo ellos	*a las cuatro de la mañana?*

I was		playing baseball.
You were		studying English.
He was		watching TV.
She was	(not)	reading a book.
We were		eating breakfast.
You were		working.
They were		listening to the radio.

Yo no estaba	*jugando al béisbol.*
Tú no estabas	*estudiando inglés.*
Usted no estaba	*estudiando inglés.*
Él no estaba	*viendo la televisión.*
Ella no estaba	*leyendo un libro.*
Nosotros no estábamos	*desayunando.*
Ustedes no estaban	*trabajando.*
Ellos no estaban	*escuchando la radio.*

Apuntes

El día y la fecha

La pregunta **What is the day today?**, (¿Qué día es hoy?) se contesta diciendo el día de la semana o el día del mes.

What is the day today?	*¿Qué día es hoy?*
It's Wednesday.	*Es miércoles.*
It's May 4th.	*Es cuatro de mayo.*

Por otra parte, si se pregunta **What is the date today?** (¿A qué fecha estamos hoy?) se debe contestar diciendo el día del mes.

What is the date today?	*¿A qué fecha estamos hoy?*
It's May 4th.	*Es cuatro de mayo.*

Usar "at", "in" y "on"

Cuando nos referimos a una fecha específica, utilizamos **at**.

I was playing baseball at 3:00 PM yesterday.
Yo estaba jugando al béisbol a las tres de la tarde de ayer.

Usamos **on** con los días de la semana.

We were playing football on Monday.
Nosotros estábamos jugando al fútbol el lunes.

Usamos **in** cuando nos referimos a un mes o a un año determinado.

He was sick in June.
Él estaba enfermo en junio.

2 Clase

"Last" y "Next"

La palabra **last** se usa, por ejemplo, para indicar el lugar que ocupa un mes determinado.

December is the last month.
Diciembre es el último mes.

La palabra **last** también se usa para indicar el periodo de tiempo (semana, mes, año) que precede al periodo de tiempo actual. Veamos algunos ejemplos:

They were on vacation last month.
El mes pasado, estaban de vacaciones.

We were studying Spanish last year.
El año pasado, estábamos estudiando español.

La palabra **next** se usa para indicar el periodo de tiempo inmediatamente posterior al periodo de tiempo actual.

Next week I will be absent.
La próxima semana, estaré ausente.

Next month we will be in New York.
El mes que viene, estaremos en Nueva York.

Next year they will be busy.
El año que viene, estarán ocupados.

Last se usa con las palabras **evening** y **night** pero no puede usarse con las palabras **morning** y **afternoon**.

I watched TV last evening.
Vi la televisión anoche.

He was sick last night.
Él estaba enfermo anoche.

Más números que sirven para ordenar

En el caso de números superiores a veinte, sólo se cambia la segunda parte del número.

21st	twenty-first	*vigésimoprimero*
34th	thirty-fourth	*trigésimocuarto*
43rd	forty-third	*cuadragésimotercero*

El pasado del verbo "to be"

Se usa la forma simple del pasado de **to be** para describir una acción que ocurrió en el pasado.

Last year my brother was thin.
El año pasado, mi hermano estaba delgado.

Mr. Parker was my teacher last year.
El Sr. Parker era mi maestro el año pasado.

In 1995, I was ten years old.
En 1995, yo tenía diez años.

2 Clase

Para formar oraciones negativas en pasado, basta con añadir la palabra **not**.

Last year, my brother was not thin.
El año pasado, mi hermano no estaba delgado.

Mr. Parker was not my teacher last year.
El Sr. Parker no fue mi maestro el año pasado.

In 1995, I was not ten years old.
En 1995, yo no tenía diez años.

Acciones en el pasado

Para describir acciones que se desarrollan de forma continuada en el pasado, se usa el verbo **to be** en tiempo pasado y un verbo que termina en **ing**.

Yesterday, he was playing soccer all afternoon.
Ayer, él estuvo jugando al fútbol toda la tarde.

Last year, I was living in New York.
El año pasado, yo estaba viviendo en Nueva York.

Las oraciones anteriores u oraciones del mismo tipo se usan para describir una acción que ocurrió en un momento específico del pasado.

What were you doing at 8:00 AM?
¿Qué estaban haciendo a las ocho de la mañana?

We were cooking breakfast.
Estábamos preparando el desayuno.

They were watching TV at midnight.
Ellos estaban viendo la televisión a medianoche.

They were running at 3:00 yesterday.
Ellos estaban corriendo a las tres de la tarde de ayer.

Usar la palabra "all" con periodos de tiempo

All indica un periodo de tiempo completo: **all afternoon**, **all evening**, **all morning**, **all month**, **all year**.

I was sleeping all afternoon.
Yo estuve durmiendo toda la tarde.

He was sick all night.
Él estuvo enfermo toda la noche.

They were absent all month.
Ellos estuvieron ausentes todo el mes.

He was living in Los Angeles all last year.
Él estuvo viviendo en Los Ángeles todo el año pasado.

2 Clase

Preguntas generales y específicas acerca del pasado

Hay dos formas de preguntarle a alguien lo que estaba haciendo en algún momento del pasado.

La pregunta general es la siguiente:

What were you doing yesterday at 3:00 PM?
¿Qué estabas haciendo ayer a las tres de la tarde?

What was he doing the day before yesterday?
¿Qué estaba haciendo él anteayer?

Se debe contestar con un verbo de acción.

I was studying yesterday at 3:00 PM.
A las tres de la tarde de ayer, yo estaba estudiando.

He was playing baseball the day before yesterday.
Anteayer, él estaba jugando al béisbol.

Para hacer una pregunta específica, se utiliza un verbo en particular:

Were you reading a book last night?
¿Estabas leyendo un libro anoche?

Were they running at 8:30 AM?
¿Estaban corriendo a las ocho y media de la mañana?

La respuesta a una pregunta específica es una respuesta corta afirmativa o negativa.

Yes, I was.	No, I wasn't.
Yes, you were.	No, you weren't.
Yes, he was.	No, he wasn't.
Yes, she was.	No, she wasn't.
Yes, we were.	No, we weren't.
Yes, you were.	No, you weren't.
Yes, they were.	No, they weren't.

En español, contestaríamos simplemente "sí" o "no".

(to) catch some z's

Su traducción literal es "cazar unas cuantas zetas", pero significa hacer una siesta.

I didn't sleep well last night and I'm tired. I think I'm going to catch some z's.

No dormí bien anoche y estoy cansado. Creo que voy a hacer una siesta.

2 Diálogo

Éste es el texto completo del diálogo incluido en el video. Usted hará el papel del espectador (viewer). Si le hacen una pregunta personal, conteste usando información personal. Tenga en cuenta que las respuestas del espectador que le proporcionamos no son las únicas respuestas correctas.

Pánico en la oficina

Tom — Amy. How was the morning?
Amy. *¿Qué tal fue la mañana?*

Amy — It was very busy!
¡Muy ocupada!

Tom — Was it?
¿De verdad?

Viewer — Yes, it was.
Sí.

Amy — Yes! At ten o'clock, it was crazy!
People were running everywhere.
¡Sí! A las diez en punto, ¡era una locura!
La gente corría por todas partes.

Tom — Why?
¿Por qué?

Amy — Barbara was angry, and Sonia was hungry.
Barbara estaba enojada y Sonia tenía hambre.

Diálogo 2

Tom	What were Blake and Peter doing? *¿Qué estaban haciendo Blake y Peter?*
Amy	They were arguing. *Estaban discutiendo.*
Tom	What was Karen doing? *¿Qué estaba haciendo Karen?*
Amy	She was talking on the phone in her office. *Estaba hablando por teléfono en su despacho.*
Tom	What was Karen doing? *¿Qué estaba haciendo Karen?*
Viewer	She was talking on the phone. *Estaba hablando por teléfono.*
Tom	Are you OK now? *¿Estás bien ahora?*
Amy	I'm all right. I'm tired. I'm going home. I need some sleep. Bye! *Estoy bien. Estoy cansada.* *Me voy a casa. Necesito dormir. ¡Adiós!*
Tom	See you tomorrow, Amy *Hasta mañana, Amy.*

P Notas

Pronunciación

P Vocabulario

Le recomendamos que lea las palabras del vocabulario antes de ver el video correspondiente a esta lección. Éstas son las palabras más importantes de esta lección.

negative	*palabra negativa*
describing word	*palabra que sirve para describir*
(to) speak	*hablar*
(to) clap	*dar palmadas, aplaudir*
What kind?	*¿Qué clase de…?*
	¿Qué tipo de…?

Apuntes

En las dos últimas lecciones de pronunciación, practicamos la acentuación de las palabras. En inglés, hay una gran diferencia entre las sílabas que se acentúan y las que no se acentúan. Además, no hay normas que regulen la acentuación de las palabras en inglés. Por lo tanto, no podemos saber de antemano qué sílaba debemos acentuar en una palabra. En consecuencia, es importante escuchar atentamente las palabras nuevas y tomar nota de la colocación del acento en las mismas.

En esta clase, vamos a practicar la acentuación de las oraciones. Al acentuar las oraciones en inglés, generamos un ritmo parecido al ritmo musical. En inglés, no contamos las sílabas para determinar si una oración es más o menos larga. Lo que determina el tamaño de una oración es la cantidad de sílabas acentuadas.

Las oraciones siguientes lo demuestran claramente. Cada una de ellas tiene un número de sílabas diferente y sin embargo, se pueden decir en el mismo periodo de tiempo. Las sílabas acentuadas en estas oraciones están escritas en letra mayúscula.

- BOYS PLAY TRUMpets.
- The BOYS are PLAYing their TRUMpets.
- The BOYS could have been PLAYing their TRUMpets.

Practique la pronunciación de las oraciones anteriores. ¿Puede usted decirlas colocando el acento en las palabras apropiadas?

3 Notas

Lección
3

3 Notas

Vocabulario 3

Le recomendamos que lea las palabras del vocabulario antes de ver el video correspondiente a esta lección. Éstas son las palabras más importantes de esta lección.

weather	*clima, tiempo*
cold	*frío*
cool	*fresco*
dry	*seco*
hot	*caluroso*
humid	*húmedo*
clear	*despejado*
warm	*cálido*
cloud	*nube*
cloudy	*nublado*
fog	*niebla*
foggy	*con niebla*
rain	*lluvia*
rainy	*lluvioso*
storm	*tormenta*
stormy	*tormentoso*
sun	*sol*
sunny	*soleado*
wind	*viento*
windy	*con viento*
thunder	*trueno*
lightning	*relámpagos*
spring	*primavera*
summer	*verano*
autumn (fall)	*otoño*
winter	*invierno*

3 Vocabulario

vacation	*vacaciones*
across	*al otro lado de*
map	*mapa*
trip	*viaje*
car	*coche*
souvenir	*recuerdo*
finally	*por fin*

Elementos esenciales

Esta sección destaca los elementos básicos de esta lección. Lea detenidamente lo que incluimos en ella.

sun	*sol*	sunny	*soleado*
fog	*niebla*	foggy	*con niebla*
rain	*lluvia*	rainy	*lluvioso*
snow	*nieve*	snowy	*con nieve*
wind	*viento*	windy	*con viento*
cloud	*nube*	cloudy	*nublado*
storm	*tormenta*	stormy	*tormentoso*

Aprenda y practique

Le recomendamos que aprenda las expresiones y oraciones incluidas en esta sección. Practique lo aprendido cada día.

It was ...a little cold. *Hacía ...algo de frío.*
...very hot. *...mucho calor.*

It was ...a little humid.
...very humid.

Era ...un poco húmedo.
...muy húmedo.

It was ...a little cool.
...very warm.
...dry.
...clear.

Era ...un poco fresco.
...muy cálido.
...seco.
...despejado.

I saw the sun yesterday.
Yo vi el sol ayer.

It was sunny.
Hacía sol.

There were clouds yesterday.
Había nubes ayer.

Was it cloudy?
¿Estaba nublado?

The fog was thick.
La niebla era espesa.

It was very foggy.
Había mucha niebla.

There was a lot of snow.
Había mucha nieve.

It was a little snowy.
Nevaba un poco.

It was a big storm.
Era una gran tormenta.

It was stormy last night.
Anoche hubo una tormenta.

There was a lot of rain last week.
Llovió mucho la semana pasada.

It was rainy.
Llovió mucho.

The wind was cold.
El viento era frío.

Was it windy?
¿Había viento?

3 Clase

Apuntes

El tiempo

La pregunta **How's the weather?** nos pide que describamos el tiempo o clima.

It's raining.	*Está lloviendo.*
It's a little humid.	*Es un poco húmedo.*
It's very cloudy.	*Está muy nublado.*

Si queremos saber qué tiempo hacía en algún momento del pasado, hacemos la pregunta siguiente: **How was the weather?** (¿Qué tiempo hacía? o ¿Cómo estaba el tiempo?)

It was raining.	*Estuvo lloviendo.*
It was a little humid.	*Era un poco húmedo.*
It was very cloudy.	*Estaba muy nublado.*

"Snow", "snowy" y "(to) snow"

Las palabras **snow** (nieve), **rain** (lluvia), **fog** (niebla), **cloud** (nube), **thunder** (trueno), **lightning** (relámpagos) y **wind** (viento) son sustantivos.

There is snow on the ground.	*Hay nieve en el suelo.*
The wind is very strong.	*El viento es muy fuerte.*
There was a lot of thunder last night.	*Hubo muchos truenos anoche.*

Clase 3

Snowy, **rainy**, **foggy**, **cloudy** y **windy** son palabras que sirven para describir.

The weather was stormy. *El clima era tormentoso.*	It is cloudy. *Está nublado.*

La mayoría de las palabras relacionadas con el clima son sustantivos o palabras que sirven para describir.

Las palabras **snow**, **rain** y **storm** también pueden usarse como verbos.

It was snowing last Thursday evening.
Estaba nevando el pasado jueves por la noche.

It always snows in January here.
Aquí siempre nieva en enero.

Is it raining?
¿Está lloviendo?

It didn't rain last Saturday.
No llovió el pasado sábado.

No debe confundirse la forma verbal que termina en "**ing**" con las palabras que sirven para describir que terminan en "**y**".

Verbo:	It is rain**ing**. *Está lloviendo.*
Palabra que sirve para describir:	It was a rain**y** afternoon. *Era una tarde lluviosa.*

3 Clase

Opuestos

sunny *soleado*	cloudy *nublado*
dry *seco*	humid *húmedo*
hot *calor*	cold *frío*

Cada persona relaciona las palabras referentes al clima con situaciones muy diferentes.

hot	cold
warm	cool

Una persona que vive en Seattle, donde llueve mucho y con mucha frecuencia, no usará la palabra **rainy** (lluvioso/a) en las mismas circunstancias que una persona que vive en el desierto y no está tan acostumbrada a la lluvia.

La temperatura

En inglés, siempre se mencionan los grados al hablar de la temperatura.

It is very cold today. The temperature is 20 degrees.
Hace mucho frío hoy. La temperatura es de 20 grados.

It was 50 degrees yesterday!
¡Ayer hacía 50 grados!

Al escribir la temperatura, podemos usar el símbolo: º.

It is very cold today. The temperature is 20º.
Hace mucho frío hoy. La temperatura es de 20 grados.

It was 50º yesterday!
¡Ayer hacía 50 grados!

En los Estados Unidos, la temperatura se mide en grados Farenheit. En la escala de Farenheit, la temperatura de congelación del agua es de 32 grados. En la escala de Celsius o de grados centígrados, el agua se congela cuando la temperatura es de cero grados.

Las estaciones

Las estaciones del año comienzan y terminan en fechas específicas. Sin embargo, la mayoría de las personas no son tan precisas y suelen relacionar las estaciones con meses y no con fechas determinadas.

winter — December, January, February
invierno — *diciembre, enero, febrero*

spring — March, April, May
primavera — *marzo, abril, mayo*

summer — June, July, August
verano — *junio, julio, agosto*

autumn — September, October, November
otoño — *septiembre, octubre, noviembre*

3 Clase

Se pueden relacionar las estaciones con un periodo de tiempo más general.

My children went to San Diego last summer.
Mis hijos fueron a San Diego el verano pasado.

En este caso, relacionamos la palabra **summer** (verano) con el periodo de tiempo que va del final del año escolar (mayo o junio aproximadamente) al principio del siguiente año escolar (normalmente en agosto o septiembre)

A veces, relacionamos las estaciones con el clima.

I love the colored leaves in autumn.
Me encanta el color de las hojas en otoño.

Y otras veces, las relacionamos con una actividad en particular.

We go skiing every winter.
Vamos a esquiar todos los inviernos.

Diálogo 3

Éste es el texto completo del diálogo incluido en el video. Usted hará el papel del espectador (viewer). Si le hacen una pregunta personal, conteste usando información personal. Tenga en cuenta que las respuestas del espectador que le proporcionamos no son las únicas respuestas correctas.

¿Dónde estabas?

Kathy — Hi, Robert.
Hola, Robert.

Robert — Hello, Kathy. How are you?
Hola, Kathy. ¿Cómo estás?

Kathy — I'm fine. I called you yesterday.
Estoy bien. Te llamé ayer.

Robert — When?
¿Cuándo?

Viewer — Yesterday.
Ayer.

Kathy — No one answered the telephone.
Nadie contestó el teléfono.

Robert — Really?
¿De verdad?

Kathy — I called in the late afternoon.
Llamé al final de la tarde.

3 Diálogo

Robert
When did she call?
¿Cuándo llamó?

Viewer
In the late afternoon.
A última hora de la tarde.

Robert
Oh. I played soccer all afternoon.
Oh. Jugué al fútbol toda la tarde.

Kathy
I called in the evening, too. You weren't home.
También llamé por la noche. No estabas en casa.

Robert
Well, after I played soccer,
I walked to my friend's house.
We watched TV. Then we ate dinner.
I got home at nine o'clock.
Bueno, después de jugar al fútbol,
fui caminando a casa de mi amigo.
Vimos la televisión. Y luego cenamos.
Llegué a casa a las nueve.

Kathy
I was in bed at nine o'clock.
Estaba en la cama a las nueve en punto.

Robert
Nine o'clock?
¿A las nueve en punto?

Kathy
I was tired. I studied all evening.
Estaba cansada. Estudié toda la noche.

Robert
You're a good student, Kathy.
Eres una buena estudiante, Kathy.

Lección
4

4 Notas

Vocabulario 4

Le recomendamos que lea las palabras del vocabulario antes de ver el video correspondiente a esta lección. Éstas son las palabras más importantes de esta lección.

during	*durante*
(to) pack	*hacer el equipaje, empacar*
(to) start	*comenzar, empezar*
(to) stop	*parar, detener*
(to) try	*intentar, probar*
(to) call	*llamar*
(to) show	*enseñar, mostrar*
(to) travel	*viajar*
(to) arrive	*llegar*
(to) camp	*acampar*
(to) look for	*buscar*
(to) visit	*visitar*
(to) want	*querer*

Más vocabulario

desert	*desierto*
beach	*playa*
water	*agua*
hotel	*hotel*
motel	*motel*
sunset	*atardecer, puesta del sol*
sunrise	*amanecer*

4 Vocabulario

Elementos esenciales

Esta sección destaca los elementos básicos de esta lección. Lea detenidamente lo que incluimos en ella.

didn't = did not

Aprenda y practique

Le recomendamos que aprenda las expresiones y oraciones incluidas en esta sección. Practique lo aprendido cada día.

I walk	every day.	*Yo camino*	*todos los días.*
You walk		*Tú caminas*	
		Usted camina	
He walks		*Él camina*	
She walks		*Ella camina*	
We walk		*Nosotros caminamos*	
You walk		*Ustedes caminan*	
They walk		*Ellos caminan*	

I walked	yesterday.	*Yo caminé*	*ayer.*
You walked		*Tú caminaste*	
		Usted caminó	
He walked		*Él caminó*	
She walked		*Ella caminó*	
We walked		*Nosotros caminamos*	
You walked		*Ustedes caminaron*	
They walked		*Ellos caminaron*	

travel	traveled
pack	packed
stop	stopped
camp	camped
look for	looked for
stay	stayed
start	started
watch	watched
want	wanted
arrive	arrived
walk	walked
visit	visited
shop	shopped
like	liked

I do not call	every day.	*Yo no llamo*	*todos los días.*
You do not call		*Tú no llamas*	
		Usted no llama	
He does not call		*Él no llama*	
She does not call		*Ella no llama*	
We do not call		*Nosotros no llamamos*	
You do not call		*Ustedes no llaman*	
They do not call		*Ellos no llaman*	

4 Vocabulario

I did not call	yesterday.	*Yo no llamé*	*ayer.*
You did not call		*Tú no llamaste*	
		Usted no llamó	
He did not call		*Él no llamó*	
She did not call		*Ella no llamó*	
We did not call		*Nosotros no llamamos*	
You did not call		*Ustedes no llamaron*	
They did not call		*Ellos no llamaron*	

Did I call yesterday?	Yes, you did./No, you didn't.
you	Yes, I did./No, I didn't.
he	Yes, he did./No, he didn't.
she	Yes, she did./No, she didn't.
we	Yes, you did./No, you didn't.
you	Yes, we did./No, we didn't.
they	Yes, they did./No, they didn't.

¿Llamé yo ayer?	*Sí. / No.*
¿Llamaste tú ayer?	*Sí. / No.*
¿Llamó usted ayer?	*Sí. / No.*
¿Llamó él ayer?	*Sí. / No.*
¿Llamó ella ayer?	*Sí. / No.*
¿Llamamos nosotros ayer?	*Sí. / No.*
¿Llamaron ustedes ayer?	*Sí. / No.*
¿Llamaron ellos ayer?	*Sí. / No.*

Apuntes

Hablar del pasado

Para hablar de acciones que ocurrieron en el pasado, se pone el verbo en una forma especial. Se han de seguir varias normas para poner los verbos en pasado.

En la mayoría de los casos, se forma el pasado añadiendo **ed** al final del verbo.

call	call**ed**
watch	watch**ed**
listen	listen**ed**
work	work**ed**

Si el verbo termina en **e**, sólo se tiene que añadir la **d** al final del verbo.

practice	practice**d**
like	like**d**
use	use**d**
smile	smile**d**

Si el verbo es una palabra de una sóla sílaba y termina en vocal+consonante, se dobla la consonante final y se añade **ed**.

stop	stopp**ed**

4 Clase

Si el verbo acaba en **consonante + y**, se cambia la y por la **i** y se añade **ed**.

study	studi**ed**
try	tri**ed**

Si el verbo acaba en **vocal + y**, sólo se tiene que añadir **ed**.

play	play**ed**
stay	stay**ed**

Ciertos verbos no siguen las reglas anteriores y cambian totalmente en pasado. **(To) be** es uno de esos verbos.

I am	I was
you, we, they are	you, we, they were
he, she, it is	he, she, it was

Veremos más verbos que cambian totalmente en pasado en lecciones posteriores.

Oraciones negativas en pasado

Poner los verbos en tiempo pasado puede resultar complicado. Pero formar oraciones negativas en tiempo pasado es mucho más fácil. Sólo se tiene que colocar **did** + **not** delante de la forma simple del verbo. **Did + not** se usa con todos los verbos.

I walked.	I **did not** walk.
Tom called.	Tom **did not** call.
The boys tried.	The boys **did not** try.

En el lenguaje hablado, se usa con frecuencia la contracción de **did not**.

I **did not** walk.	I **didn't** walk.
Tom **did not** call.	Tom **didn't** call.
The boys **did not** try.	The boys **didn't** try.

Preguntas sobre el pasado

La palabra **did** se usa para hacer preguntas acerca del pasado.

Did he walk to school last week?
¿Se fue caminando a la escuela la semana pasada?

Did you call last night?
¿Llamaste anoche?

Did they watch TV yesterday?
¿Vieron la televisión ayer?

Podemos usar respuestas largas para contestar a estas preguntas.

Did you call last night?
¿Llamaste anoche?

Yes, I called last night.
Sí, llamé anoche.

No, I didn't call last night.
No, no llamé anoche.

4 Clase

from rags to riches

Se utiliza para indicar que alguien pasó de la pobreza (rags = harapos) a la riqueza (riches = riqueza, abundancia).

Carla worked in a factory everyday, studied at night, and saved her money. Now, after living in a small apartment, she lives in her own mansion. She really went from rags to riches!

Carla trabajaba en una fábrica todos los días, estudiaba de noche y ahorraba dinero. Ahora, después de vivir en un apartamento pequeño, vive en su propia mansión. ¡Ella sí que de verdad pasó de la pobreza a la riqueza!

Diálogo 4

Éste es el texto completo del diálogo incluido en el video. Usted hará el papel del espectador (viewer). Si le hacen una pregunta personal, conteste usando información personal. Tenga en cuenta que las respuestas del espectador que le proporcionamos no son las únicas respuestas correctas.

Hablando de las vacaciones

Ann	Oh, I need a vacation! *Oh, ¡necesito unas vacaciones!*
Amy	I understand. Last summer Bill and I went on a great vacation. *Lo comprendo. El verano pasado, Bill y yo disfrutamos de unas vacaciones fantásticas.*
Ann	Really? Where did you go? *¿De verdad? ¿Adónde fueron?*
Amy	Florida. *A Florida.*
Ann	We went to Florida last year, too. *Nosotros también fuimos a Florida el año pasado.*
Amy	We liked it a lot. It was beautiful. And the beaches were great. *Nos gustó mucho.* *Era hermoso. Y las playas eran fantásticas.*
Ann	Was the weather good? *¿El clima era bueno?*

4 Diálogo

Amy	Yes. It was hot and sunny every day. *Sí. Hacía calor y sol todos los días.*
Ann	What did you do? *¿Qué hicieron?*
Amy	We walked and played volleyball on the beach. Every night we'd look for nice restaurants. Then we talked, watched TV, and relaxed. *Paseamos y jugamos voleibol en la playa.* *Cada noche, buscábamos un buen restaurante.* *Luego hablábamos, veíamos la televisión y* *nos relajábamos.*
Ann	How nice! *¡Qué bien!*
Amy	Yes. It was a great vacation. *Sí. Fueron unas vacaciones estupendas.*
Ann	Where did you go on your last vacation? *¿Adónde fue en sus últimas vacaciones?*
Viewer	I went to __________. *Fui a*__________.
Ann	Did you like it? *¿Le gustó?*
Viewer	Yes, it was __________. *Sí, fue*__________.

Aprendamos viajando

Aprendamos viajando

There are things to do in New Orleans all the time, day and night. Monday, Tuesday, Wednesday—any day is party time for tourists in New Orleans. New Orleans is "hopping" twelve months a year, seven days a week, and 24 hours a day.

New Orleans is in the state of Louisiana. It is bordered by Texas, Arkansas, and Mississippi. The Gulf of Mexico lies to the south.

New Orleans was founded by Jean Baptiste Le Moyne in 1717. The French influence in New Orleans is still strong. Let's start our tour of New Orleans in the center of the action, the French Quarter.

"If you walk through the French Quarter, you'll notice most of the exterior of the buildings here. We have more French and Spanish design than anything. The Vieux Carre, which is the French Quarter, is really the heartthrob of the city of New Orleans. The tourists, as well as the local people, on Saturdays and Sundays, will come down and play tourists because this is basically where it's happening. Something is bound to be happening in the French Quarter. All the good culture about the city of New Orleans and the history about the city of New Orleans you will find here in the Vieux Carre."

New Orleans is built below sea level. The Mississippi River runs alongs the southern edge of the city, and Lake Ponchartrain forms the northern edge. There are many ships and riverboats that go up and down the Mississippi River.

Aprendamos viajando 

En Nueva Orleáns, siempre hay algo que hacer, de día y de noche. El lunes, el martes, el miércoles, los turistas pueden divertirse todos los días en Nueva Orleáns. En Nueva Orleáns se baila doce meses al año, siete días a la semana y veinticuatro horas al día.

Nueva Orleáns está en el estado de Luisiana. Luisiana linda con los estados de Tejas, Arkansas y Misisipí. El golfo de México está situado al sur.

Jean Baptiste Le Moyne fundó Nueva Orleáns en 1717. La influencia francesa en Nueva Orleáns sigue siendo importante. Empecemos nuestra visita a Nueva Orleáns en el Barrio Francés, el centro de la animación.

"Si usted camina por el Barrio Francés, le llamará la atención el aspecto exterior de los edificios. La mayoría son de estilo francés y español. El 'Vieux Carré', el Barrio Francés, es realmente el centro de atracción de la ciudad de Nueva Orleáns. Tanto turistas como residentes vienen sábados y domingos a comportarse como turistas ya que, básicamente, todo ocurre aquí. Siempre está pasando algo en el Barrio Francés. Todo lo referente a la cultura y a la historia de la ciudad de Nueva Orleáns, lo encontrará aquí, en el 'Vieux Carré'."

Nueva Orleáns se ha construido por debajo del nivel del mar. El río Misisipí corre por el extremo sur de la ciudad, y el lago Ponchartrain baña el extremo norte. Hay muchos barcos y botes que pasan por el río Misisipí.

V Aprendamos viajando

We'll walk through Washington Artillery Park, past the Riverfront Streetcar stop toward Jackson Square. Here's another way to see Jackson Square—by carriage. But let's walk—the weather is good today.

In the early morning, the smell of baking fills the air. While the residents of the French Quarter get ready for work, the restaurants, bars and jazz clubs clean up from last night's parties.

New Orleans is famous for its beignets, small pastries, and strong coffee. Here the French influence is obvious.

This is St. Louis Cathedral—the oldest cathedral in the United States. The garden behind the Cathedral is called St. Anthony's Garden. It is usually peaceful here in the garden.

This is Royal Street, one of the main shopping streets in the French Quarter. Be sure to look up, too. Many buildings in the French Quarter have beautiful iron railings.

This is Preservation Hall—one of the most famous music halls in the United States. No food or drinks are served here, so if you come back to hear some music, make sure you bring your own refreshments.

This is the Old Ursuline Convent, the only remaining example of French Creole architecture. The school inside the convent was the first one in the United States to accept Black and Indian children.

Aprendamos viajando

Caminaremos por el Parque Washington Artillery, pasaremos delante de la parada del tranvía Riverfront en dirección a la Plaza Jackson. Ésta es otra forma de visitar la Plaza Jackson: en carruaje. Pero caminemos; el clima es agradable hoy.

A primera hora de la mañana, huele a pan y a pasteles. Mientras los residentes del Barrio Francés se preparan para ir a trabajar, los restaurantes, bares y clubes de jazz están de limpieza tras las fiestas de la noche anterior.

Nueva Orleáns es famosa por sus "beignets", los buñuelos, y el café cargado. Aquí, la influencia francesa es evidente.

Ésta es la catedral de San Luis, la catedral más antigua de los Estados Unidos. El jardín que está detrás de la catedral se llama Jardín de San Antonio. El jardín es generalmente un lugar apacible.

Ésta es la calle Royal, una de las principales calles comerciales del Barrio Francés. Asegúrese de mirar hacia arriba. Muchos edificios del Barrio Francés tienen hermosas barandillas de hierro forjado.

Esto es Preservation Hall; uno de los salones de música más famosos de los Estados Unidos. Aquí no se sirven comidas ni bebidas, así que si regresa para escuchar música, asegúrese de traer sus propios refrescos.

Éste es el viejo convento de las Ursulinas, el único ejemplar restante de la arquitectura francesa criolla. La escuela instalada en el convento fue la primera escuela de los Estados Unidos que aceptó a niños negros e indios.

V Aprendamos viajando

Lafayette Cemetery is in the heart of the Garden District. A slow walk will show some of the history of New Orleans.

Let's take a side trip to the bayou.

"Take a look at these lands, folks! Can't drive on them. Can't hardly walk on them. Can't plant anything in it. Looks kind of useless, doesn't it? But the Perez family makes more money on these lands, folks, than most of the fertile fields in California."

Many people see the swamps by air boat. A bayou is a slow-moving stream, surrounded by swamps with moss-covered trees and filled with alligators!

No one can leave New Orleans without sampling the great food.

"Arnaud's is the ultimate New Orleans Creole dining experience. When you come to New Orleans you want to try Creole food because that's what we are famous for. That's our own style of cooking—that is indigenous just to the New Orleans of the Louisiana area. Because of its history and style, and charm, it very much epitomizes the Creole/New Orleans dining experience. And, it's a combination of the food, the ambiance, and the history because it's been around since 1918. And that's what New Orleans dining is about. And that's what makes us special."

As the sun sets over New Orleans, the streets come to life.

El cementerio Lafayette está en el corazón del Garden District (barrio de los jardines). Al pasear lentamente, se muestra parte de la historia de Nueva Orleáns.

Desviémonos hacia el brazo pantanoso del río.

"¡Miren estas tierras, amigos! No se puede conducir por ellas. Casi no se puede caminar por ellas. Aquí no se puede plantar nada. Se diría que no sirven para nada, ¿no es cierto? Pero, amigos, la familia Pérez gana más dinero con estas tierras que con la mayoría de los campos fértiles de California."

Mucha gente visita los pantanos en botes especiales. Un "bayou" es un arroyo que fluye lentamente, rodeado de pantanos con árboles cubiertos de musgo y ¡muchos caimanes!

Nadie puede irse de Nueva Orleáns sin probar su extraordinaria cocina.

"Arnaud's es el mejor restaurante de cocina criolla de Nueva Orleáns. Cuando venga a Nueva Orleáns, tiene que probar comida criolla porque eso es lo que nos hace famosos. Ése es nuestro propio estilo culinario, el estilo culinario típico del área de Nueva Orleáns. Su historia, estilo y encanto hacen de Arnaud's el mejor restaurante de cocina criolla de Nueva Orleáns. Y es una combinación de comida, ambiente e historia porque Arnaud's existe desde 1918. Eso es lo que significa cenar en Nueva Orleáns, y eso es lo que nos hace especiales."

Al ponerse el sol en Nueva Orleáns, las calles cobran vida.

C Notas

Aprendamos cantando

C Notas

Rock Around the Clock

Música y letra
Max D. Freedman
Jimmy DeKnight

Originalmente interpretado por **"Bill Haley & His Comets"**, **Rock Around the Clock** es un clásico del Rock 'n Roll.

Rock 'n Roll es un término que se utiliza para describir un tipo de música que nació en los Estados Unidos en la década de los años cincuenta, al mezclarse el ritmo de la música blues con elementos de la música country (del campo, campestre).

Como toda canción de Rock 'n Roll, **Rock Around the Clock** se caracteriza por su ritmo rápido y movido. De hecho, el ritmo de la canción es tan rápido que las palabras que contiene la letra nunca superan las dos sílabas. Tanto éstas como las frases que se utilizan aparecen en su forma más abreviada.

La expresión **around the clock** (alrededor del reloj) significa "a todas horas" o "de sol a sol". Si decimos **I work around the clock**, estamos diciendo "trabajo a todas horas" o "trabajo de sol a sol".

La música y letra de las canciones se encuentran en los videos. Localice la sección titulada "Aprendamos cantando" en su video.

C Aprendamos cantando

When the clock strikes es una expresión idiomática que significa "cuando el reloj da o dé la hora". De igual forma, **when the clock strikes one** (cuando el reloj dé la una), **when the clock strikes two, three and four** (cuando el reloj dé las dos, las tres y las cuatro).

La canción utiliza otra expresión para decir "cuando el reloj dé las cinco". **When the chime rings five** es una expresión que significa literalmente "cuando la campana toque las cinco".

La expresión **glad rags** (literalmente "trapos alegres") se usaba en los Estados Unidos en la década de los cincuenta y significaba "vestido de fiesta". Hoy ha caído en desuso, pero la palabra **rag** (trapo) aún se utiliza en el inglés informal para referirse a la ropa.

¡Ojo!
En muchas ocasiones, **rag** se utiliza en sentido negativo o despectivo para describir una prenda de vestir vieja o fea. Tenga cuidado al usar esta palabra ya que pueden malinterpretarle.

La palabra **honey** (miel) se utiliza muy a menudo como apodo cariñoso, del mismo modo que la palabra "cielo" en español. **Hon** es una abreviatura de **honey**.

Fíjese en las contracciones **we're** y **we'll**.
You are (tú eres) y **we are** (nosotros somos) se abrevian del mismo modo: añadiendo **'re** a **you** (tú) y a **we** (nosotros). **We're gonna rock** es lo mismo que **we are going to rock** (vamos a bailar rock). **Gonna** es la abreviatura de **going to** y se utiliza en el lenguaje coloquial.

I will y **we will** se abrevian del mismo modo: añadiendo **'ll** a **I** (yo) y **we** (nosotros). **We'll have some fun** es lo mismo que **we will have some fun** (nos divertiremos). **To have fun** es la forma más usual de decir "divertirse".

Broad daylight es una frase idiomática que significa "a plena luz del día". Esta expresión puede resultar confusa para el estudiante de inglés, ya que **broad** se suele utilizar para expresar amplitud o anchura. En esta canción, **Till broad daylight** significa "hasta la plena luz del día" o "hasta que brille el día".

Rockin' o **a rockin'** quiere decir "bailar" o "bailando". En este caso, el apóstrofo reemplaza a la letra "g". Del mismo modo, en una de las estrofas de la canción se encontrará con **'round**. Aquí, el apóstrofo sustituye a la letra "a"(around).

Going strong significa "darle duro". **I'll be going strong** o **I will be going strong** significa "estaré dándole duro".

To cool off significa "enfriar" o "descansar". También podemos decir **to cool down**. Para decir "calentar", diríamos **to heat up**.

Las palabras **up** (arriba), **down** (abajo) y **off** (que indica "separación") se utilizan para enfatizar el sentido positivo o negativo del verbo. Este uso es muy común en inglés y a lo largo de sus estudios se encontrará con muchos ejemplos.
He aquí algunos de los más comunes:

- to turn off (apagar)
- to turn up (aumentar, incrementar)
- to start up (encender, prender)
- to shut down (apagar)
- to close down (cerrar)
- to open up (abrir)

Aprendamos cantando

¡Ojo!

Off es una palabra de muy difícil traducción literal al español. Generalmente, se une a los verbos para modificar o cambiar su significado y sirve para expresar separación, ausencia, privación o distancia. **Off** se utiliza en muchas frases idiomáticas. Veamos algunos ejemplos:

- **Off and on** (de vez en cuando)
- **Well off** (estar bien, adinerado)
- **To be off** (equivocarse, irse)
- **Off-hand** (de repente, de improviso)

Fíjese como se abrevia la palabra **and**. En **An' so will you** (y tú también), la **d** no se pronuncia, y al escribirse, se sustituye con un apóstrofo. ¡Pero en **Rock'n roll** tampoco se escribe ni se pronuncia la **a**!

Ahora, disfrute con Rock Around The Clock.

raining cats and dogs

Significa "estar lloviendo a cántaros".

Last night we could not go out because it was raining cats and dogs.

No pudimos salir anoche porque estaba lloviendo a cántaros.

Rock a todas horas

A la una, a las dos, a las tres
A las cuatro, rock
A las cinco, a las seis, a las siete
A las ocho, rock
A las nueve, a las diez, a las once
A las doce, rock
Vamos a bailar rock
A todas horas esta noche

Ponte tu ropa de fiesta y
Ven conmigo, cielo
Nos divertiremos
Cuando el reloj dé la una
Vamos a bailar rock
A todas horas esta noche
Vamos a bailar rock, rock, rock
Hasta que brille el día
Vamos a bailar rock
vamos a bailar rock
A todas horas esta noche

Cuando el reloj dé las dos
Tres y cuatro
Si la banda se desacelera,
Gritaremos pidiendo más
Vamos a bailar rock
A todas horas esta noche
Vamos a bailar rock, rock, rock

Rock Around the Clock

One, two, three o'clock
Four o'clock, rock
Five, six, seven o'clock
Eight o'clock, rock
Nine, ten, eleven o'clock
Twelve o'clock, rock
We're gonna rock
Around the clock tonight

Put your glad rags on and
Join me, hon
We'll have some fun
When the clock strikes one
We're gonna rock
Around the clock tonight
We're gonna rock, rock, rock
'Til broad daylight
We're gonna rock
we're gonna rock
Around the clock tonight

When the clock strikes two
Three and four
If the band slows down
We'll yell for more
We're gonna rock
Around the clock tonight
We're gonna rock, rock, rock

C Aprendamos cantando

Hasta que brille el día
Vamos a bailar rock
vamos a bailar rock
A todas horas esta noche

Cuando suenen las cinco,
Seis y siete
Estaremos bailando en
el séptimo cielo
Vamos a bailar rock
A todas horas esta noche,
Vamos a bailar rock, rock, rock
Hasta que brille el día
Vamos a bailar rock
vamos a bailar rock
A todas horas esta noche

Cuando sean las ocho, nueve, diez
Once también
Estaré dándole duro
y tú también
Vamos a bailar rock
A todas horas esta noche
Vamos a bailar rock, rock, rock
Hasta que brille el día
Vamos a bailar rock
vamos a bailar rock
A todas horas esta noche

'Til broad daylight
We're gonna rock
we're gonna rock
Around the clock tonight

When the chimes ring five
Six an' seven
We'll be rockin' up in
seventh heaven.
We're gonna rock
Around the clock tonight,
We're gonna rock, rock, rock
'Til broad daylight
We're gonna rock
we're gonna rock
Around the clock tonight

When it's eight, nine, ten
Eleven, too
I'll be goin' strong an'
so will you
We're gonna rock
Around the clock tonight.
We're gonna rock, rock, rock
'Til broad daylight
We're gonna rock
we're gonna rock
Around the clock tonight

Cuando el reloj dé las doce
Descansaremos entonces
Empezaremos a bailar rock
A todas horas otra vez
Vamos a bailar rock
A todas horas esta noche
Vamos a bailar rock, rock, rock
Hasta que brille el día
Vamos a bailar rock,
vamos a bailar rock
A todas horas esta noche

A la una, a las dos, a las tres
A las cuatro, rock
A las cinco, a las seis, a las siete
A las ocho, rock
A las nueve, a las diez, a las once
A las doce, rock
Vamos a bailar rock
A todas horas esta noche

Ponte tu ropa de fiesta
y ven conmigo, querida
Nos divertiremos
Cuando el reloj dé la una
Vamos a bailar rock
A todas horas esta noche
Rock, rock, rock
Hasta que brille el día
Vamos a bailar rock
Vamos a bailar rock
A todas horas esta noche

When the clock strikes twelve
Well cool off then
Start a rockin'
'round the clock again
We're gonna rock
Around the clock tonight
We're gona rock, rock, rock
'Til broad daylight
We're gonna rock
we're gonna rock
Around the clock tonight

One, two, three o'clock
Four o'clock, rock
Five, six, seven o'clock
Eight o'clock, rock
Nine, ten, eleven o'clock
Twelve o'clock, rock
We're gonna rock
Around the clock tonight

Put your glad rags on
And join me, hon
We'll have some fun
When the clock strikes one
We're gonna rock
Around the clock tonight
Rock, rock, rock
Till broad daylight
We're gonna rock
we're gonna rock
Around the clock tonight

Notas

Aprendamos
conversando

C Notas

Aprendamos conversando

Actividad 1
Me reuniré contigo el lunes.
Me reuniré contigo el martes.
Me reuniré contigo el miércoles.
Me reuniré contigo el jueves.
Me reuniré contigo el viernes.
Me reuniré contigo el sábado.
Me reuniré contigo el domingo.

. . . .

Te veo en enero.
Te veo en febrero.
Te veo en marzo.
Te veo en abril.
Te veo en mayo.
Te veo en junio.
Te veo en julio.
Te veo en agosto.
Te veo en septiembre.
Te veo en octubre.
Te veo en noviembre.
Te veo en diciembre.

. . . .

Reunámonos en el invierno.
Reunámonos en la primavera.
Reunámonos en el verano.
Reunámonos en el otoño.

Actividad 2
Mujer: *Hoy es lunes.*
Hombre: *Hoy es lunes. Ayer fue domingo. Mañana es martes.*

Mujer: *Hoy es jueves.*
Hombre: *Hoy es jueves. Ayer fue miércoles. Mañana es viernes.*

Mujer: *Hoy es domingo.*
Hombre: *Hoy es domingo. Ayer fue sábado. Mañana es lunes.*

Actividad 1
I'll meet you on Monday.
I'll meet you on Tuesday.
I'll meet you on Wednesday.
I'll meet you on Thursday.
I'll meet you on Friday.
I'll meet you on Saturday.
I'll meet you on Sunday.

. . . .

See you in January.
See you in February.
See you in March.
See you in April.
See you in May.
See you in June.
See you in July.
See you in August.
See you in September.
See you in October.
See you in November.
See you in December.

. . . .

Let's get together in the winter.
Let's get together in the spring.
Let's get together in the summer.
Let's get together in the autumn.

Actividad 2
Woman: Today is Monday.
Man: Today is Monday. Yesterday was Sunday. Tomorrow is Tuesday.

Woman: Today is Thursday.
Man: Today is Thursday. Yesterday was Wednesday. Tomorrow is Friday.

Woman: Today is Sunday.
Man: Today is Sunday. Yesterday was Saturday. Tomorrow is Monday.

Aprendamos conversando

Mujer: *Hoy es miércoles.*
Hombre: *Hoy es miércoles. Ayer fue martes. Mañana es jueves.*

Mujer: *Hoy es viernes.*
Hombre: *Hoy es viernes. Ayer fue jueves. Mañana es sábado.*

Actividad 3
Mujer: *Éste es el mes de enero.*
Hombre: *Éste es el mes de enero. El mes pasado fue diciembre. El mes próximo será febrero.*

Mujer: *Éste es el mes de septiembre. El mes pasado fue agosto. El mes próximo será octubre.*

Mujer: *Éste es el mes de junio.*
Hombre: *Éste es el mes de junio. El mes pasado fue mayo. El mes próximo será julio.*

Mujer: *Éste es el mes de abril. El mes pasado fue marzo. El mes próximo será mayo.*

Hombre: *Éste es el mes de noviembre. El mes pasado fue octubre. El mes próximo será diciembre.*

Actividad 4
1.
Hombre: *¿Está lloviendo o está nevando?*
Mujer: *Está lloviendo.*
2.
Hombre: *¿Está tronando o está haciendo viento?*
Mujer: *Está haciendo viento.*

Woman: Today is Wednesday.
Man: Today is Wednesday. Yesterday was Tuesday. Tomorrow is Thursday.

Woman: Today is Friday.
Man: Today is Friday. Yesterday was Thursday. Tomorrow is Saturday.

Actividad 3
Woman: This month is January.
Man: This month is January. Last month was December. Next month is February.

Woman: This month is September.
Man: This month is September. Last month was August. Next month is October.

Woman: This month is June.
Man: This month is June. Last month was May. Next month is July.

Woman: This month is April.
Man: This month is April. Last month was March. Next month is May.

Woman: This month is November.
Man: This month is November. Last month was October. Next month is December.

Actividad 4
1.
Man: Is it raining or is it snowing?
Woman: It's raining.
2.
Man: Is it thundering or is it windy?
Woman: It's windy.

3.

Mujer: *¡Oh, es un día magnífico para ir a la playa!*
Hombre: *¿Está soleado o está nublado?*
Mujer: *Está soleado.*

4.

Hombre: *¿Está caluroso y húmedo o hay una tormenta?*
Mujer: *Hay una tormenta.*

5.

Hombre: *No puedo ver muy bien.*
Mujer: *¿Hay mucha niebla o está soleado?*
Hombre: *Hay mucha niebla.*

6.

Hombre: *¿Hace frío o hace calor?*
Mujer: *Hace frío.*

3.

Woman: Oh, it's a great day for the beach!
Man: Is it sunny or is it cloudy?
Woman: It's sunny.

4.

Man: Is it hot and humid or is there a storm?
Woman: There's a storm.

5.

Man: I can't see very well.
Woman: Is it foggy or is it sunny?
Man: It's foggy.

6.

Man: Is it cold or is it warm?
Woman: It's cold.

Actividad 5

El tiempo es agradable.
Es un día agradable.
Está agradable afuera.
Es un bello día.
Es un hermoso día.

. . . .

Hace mal tiempo.
El tiempo es horrible.
El tiempo es malísimo.
Es un día horrible.
Está desagradable afuera.

Actividad 5

The weather is nice.
It's a nice day.
It's nice outside.
It's a beautiful day.
It's a gorgeous day.

. . . .

The weather is bad.
The weather is terrible.
The weather is lousy.
It's a terrible day.
It's ugly outside.

Actividad 6

Diálogo 1
¿Quién cumple años hoy?
Hoy es el cumpleaños de Bill.
¿Quién cumple años el cinco de septiembre?
Cindy y Janet cumplen años el cinco de septiembre.

Actividad 6

Diálogo 1 (ver página 16)
Whose birthday is today?
Bill's birthday is today.
Whose birthday is on September 5th?
Cindy and Janet's birthdays are on September 5th.

Aprendamos conversando

Diálogo 2
¿Quién estaba enojado?
Barbara estaba enojada.
¿Quién tenía hambre?
Sonia tenía hambre.
¿Quién estaba discutiendo?
Blake y Peter estaban discutiendo.

Diálogo 3
¿Quién llamó ayer?
Kathy llamó a Robert ayer.
¿Quién no estaba en casa?
Robert no estaba en casa.
¿Quién jugó fútbol?
Robert jugó fútbol.
¿Quién es un buen estudiante?
Kathy.

Diálogo 4
¿Quién necesita vacaciones?
Ann necesita vacaciones.
¿Quién se fue a Florida con Bill?
Amy.

Actividad 7
1. *Primero de marzo*
2. *Veintidós de septiembre*
3. *Doce de abril*
4. *Veintisiete de febrero*
5. *Veintitrés de octubre*
6. *Cuatro de julio*
7. *Catorce de enero*
8. *Diez de mayo*
9. *Trece de junio*
10. *Veinticinco de diciembre*

Diálogo 2 (ver página 32)
Who was angry?
Barbara was angry.
Who was hungry?
Sonia was hungry.
Who was arguing?
Blake and Peter were arguing.

Diálogo 3 (ver página 49)
Who called yesterday?
Kathy called Robert yesterday.
Who wasn't home?
Robert wasn't home.
Who played soccer?
Robert played soccer.
Who is a good student?
Kathy.

Diálogo 4 (ver página 61)
Who needs a vacation?
Ann needs a vacation.
Who went to Florida with Bill?
Amy.

Actividad 7

1. March 1st	3/1
2. September 22nd	9/22
3. April 12th	4/12
4. February 27th	2/27
5. October 23rd	10/23
6. July 4th	7/4
7. January 14th	1/14
8. May 10th	5/10
9. June 13th	6/13
10. December 25th	12/25

Aprendamos conversando

Actividad 8
¿Qué estaba haciendo Edward a las tres p.m. el sábado? Estaba jugando fútbol.

¿Qué estaba haciendo Ellen el martes a mediodía? Estaba limpiando la casa.

¿Qué estaba haciendo el martes a mediodía? Estaba almorzando con Susan.

¿Qué estaba haciendo ella el lunes a las nueve a.m.? Estaba llamando a sus hermanas.

¿Qué estaba haciendo el domingo a la una de la tarde? Estaba visitando a John y Linda.

¿Qué estaba haciendo el jueves a las dos de la tarde? Estaba visitando a Pedro.

¿Qué estaba haciendo el viernes a las 11 de la mañana? Estaba comprando comida.

¿Qué estaban haciendo el viernes a las siete de la noche? Estaban comprando el regalo de cumpleaños de Gary.

¿Qué estaba haciendo Ellen el sábado a las nueve de la mañana? Estaba llamando a sus primos.

¿Qué estaba haciendo el lunes a las 2 p.m.? Se estaba reuniendo con Bob.

¿Y qué estaba haciendo el domingo a las cuatro? Estaba cocinando pollo para la cena.

Actividad 8
What was Edward doing at three PM on Saturday?
He was playing soccer.

What was Ellen doing at noon on Tuesday?
She was cleaning the house.

What was he doing at noon on Tuesday?
He was having lunch with Susan.

What was she doing on Monday at 9:00 AM?
She was calling her sisters.

What was he doing on Sunday afternoon at 1 o'clock?
He was visiting John and Linda.

What was she doing on Thursday afternoon at two?
She was visiting Pedro.

What was she doing on Friday morning at eleven?
She was shopping for food.

What were they doing at 7 o'clock on Friday evening?
They were shopping for Gary's birthday present.

What was Ellen doing at nine o'clock in the morning on Saturday?
She was calling her cousins.

What was he doing on Monday at 2 PM?
He was meeting with Bob.

And what was she doing on Sunday at four?
She was cooking a chicken dinner.

C Aprendamos conversando

Actividad 9
¿Almorzó Edward con Sam el lunes pasado?
No.

¿Visitó Ellen a Pedro el miércoles pasado?
No.

¿Limpió Ellen la casa el jueves?
No.

¿Cenó Edward con su hermana el miércoles a las ocho?
Sí.

¿Jugó Ellen fútbol el sábado pasado a las tres?
No.

¿Almorzó ella con Carol el miércoles por la tarde?
Sí.

¿Compró Edward un regalo de cumpleaños el viernes?
Sí.

¿Cocinó Ellen la cena a las cuatro el domingo pasado?
Sí.

Actividad 9
Did Edward have lunch with Sam last Monday?
No, he didn't.

Did Ellen visit Pedro last Wednesday?
No, she didn't.

Did Ellen clean the house on Thursday?
No, she didn't.

Did Edward have dinner with his sister at eight o'clock on Wednesday? Yes, he did.

Did Ellen play soccer last Saturday at three?
No she didn't.

Did she have lunch with Carol last Wednesday afternoon? Yes, she did.

Did Edward shop for a birthday present on Friday? Yes, he did.

Did Ellen cook dinner at four o'clock last Sunday?
Yes, she did.

Actividad 10

cerradura	*suerte*
muelle	*pato*
calcetín	*succión*
caliente	*choza*
no	*nuez*
disparo	*cerrar*
camilla	*corte*
obtenido	*intestino*
policía	*taza*

Actividad 10

lock	luck
dock	duck
sock	suck
hot	hut
not	nut
shot	shut
cot	cut
got	gut
cop	cup

1. *suerte*
2. *muelle*
3. *calcetín*
4. *choza*
5. *nuez*
6. *cerrar*
7. *corte*
8. *obtenido*
9. *taza*

Actividad 11

El reportero:
Hoy, en la ciudad de Nueva York, nubes y tormentas dispersas, con una temperatura máxima de 82 grados y una mínima de setenta.

En Los Angeles, cielos soleados, con una temperatura máxima de 83 grados y vientos de 5 a 10 millas por hora.

En Chicago, algunas nubes, posibilidad de tormentas en la noche y una temperatura mínima de 63 grados.

En San Antonio, Texas, cielos despejados con una temperatura mínima de 78 y mañana continuará el calor con una temperatura máxima de 101 grados.

Y en Miami, Florida, parcialmente nublado, con posibilidad de tormentas. La temperatura máxima, alrededor de los 85 grados, y la mínima, alrededor de los 80 grados.

¿En qué ciudades se pronostican tormentas? Nueva York, Chicago y Miami.
¿Dónde hará mucho calor hoy y mañana? En San Antonio.
¿Qué ciudad tiene una temperatura mínima de 63 grados? Chicago.

1. luck
2. dock
3. sock
4. hut
5. nut
6. shut
7. cut
8. got
9. cup

Actividad 11

Reporter:
In New York City, clouds and scattered thunderstorms today with a high of 82 degrees and a low of 70.

In Los Angeles, sunny skies, with a high of 83 and winds at 5 to 10 miles per hour.

In Chicago, some clouds, with thunderstorms possible this evening, and a low of 63 degrees.

In San Antonio, Texas, clear skies with a low of 78 and tomorrow continues to be very hot, with a high of 101.

And in Miami, Florida, partly cloudy, with a chance of thunderstorms. Highs in the mid 80s and lows in the upper 70s.

Which cities have thunderstorms in the report?
New York, Chicago, and Miami.

Where is it very hot today and tomorrow?
In San Antonio.

Which city has a low temperature of 63 degrees?
Chicago.

Notas

Notas